谁一年能过三个生日呢?

那就是捣乱猫菲菲呀。

菲菲为什么一年要过三个生日呢?

因为过生日很好玩,能做好吃的生日蛋糕。

可是这一次做蛋糕还真费了点儿劲儿,

不仅打碎了鸡蛋,

还被公牛追赶得上气不接下气。

嗯,这个蛋糕的味道一定不同一般。

Dear Chinese readers,

I'm really glad that you like Pettson & Findus. The fact that you like them shows that people all over the world, and especially children, have so much in common, which is a good start for understanding and tolerance between people.

I see myself in the first place as an illustrator. After university I started as freelance illustrator in 1970. In 1981 I participated in a picture book competition. I won that competition. In my second book, "The Pancake pie" the old man Pettson and his cat Findus appeared. Since both the readers and I liked these characters, there eventually came to be another seven books about them.

In the first book I thought of Findus mostly as a cat. In later books he has become almost entirely like a child and Pettson is like a father or grandfather. Most of the old mans thoughts and behaviour I have taken from myself, which makes us pretty much alike. And Findus is inspired by my first son when he was about 6 years old.

Practically all my work is for children.

亲爱的中国读者们：

　　我很高兴你们喜欢"派老头和捣乱猫的开心故事"。这说明世界上所有的人，特别是孩子们，喜欢的东西很多都是相同的，我想这是人与人之间相互理解和宽容的最好的开始。

　　我想我自己主要是个插画家，大学毕业后我开始了我的自由插画生涯。1981年我参加了一个儿童图画书创作比赛，我的第一本作品赢得了这次比赛。我的第二本作品就是《菲菲的生日蛋糕》，因为读者们和我都这样喜欢这个故事里的人物，所以这个系列后来又发展出了7个故事。

　　在第一个关于菲菲的故事中，我是按照小猫的形象来设计菲菲的。在后来的故事中，菲菲越来越像一个孩子，派老头越来越像是个父亲或者祖父。派老头的很多想法和行为是根据我自己的生活来设计的，而菲菲的灵感则来自于我6岁的儿子。

　　实际上，我所有的创作都是为了给孩子们带来快乐。

　　　　　　斯文·诺德奎斯特

津图登字 02-2006-44

Pannkakstartan by Sven Nordqvist

Copyright ⓒ 1984 by Sven Nordqvist

Published by arrangement with Bokförlaget Opal AB, Sweden

出版发行:新蕾出版社

E-mail:newbuds@public.tpt.tj.cn

http://www.newbuds.cn

地　　址:天津市和平区西康路 35 号(300051)

出 版 人:纪秀荣

策　　划:纪秀荣

　　　　　李华敏

　　　　　张昀韬

责任编辑:张昀韬

整体设计:杨晓君

责任印制:王其勉

电　　话:总编办(022)23332422

　　　　　发行部(022)23332676　23332677

传　　真:(022)23332422

经　　销:全国新华书店

印　　刷:天津市华明印刷厂

开　　本:889mm×1194mm　1/16

印　　张:2

版　　次:2007 年 4 月第 1 版第 2 次印刷

定　　价:15.00 元

派老头和捣乱猫的开心故事

菲菲的
生日蛋糕

[瑞典]斯文·诺德奎斯特/图文

凯梅/译

新蕾出版社

从前有个老头叫派森，人们都叫他"派老头"。他有一只小猫叫菲菲。老头和小猫住在乡下的一所小红房子里，房子旁边有木匠房、鸡窝、柴垛，还有厕所和花园。房子周围是田野和草地，更远的地方是森林。

村里的人都说派老头有点傻。咳！现在人太爱乱说了，都不知道该信谁了。派老头他有时是有点糊里糊涂，要说他和别的老头完全一样，那倒真不是这么回事。比如说，他经常自言自语地和那只猫说个不停。其实，这倒也没有什么太奇怪的，不过，最近派老头的邻居古大爷给大家讲的故事确实让人有点吃惊。古大爷说他看到派老头要做什么生日蛋糕，可他为什么去商店前要先爬到房顶上？他还在那只猫的尾巴上绑了块窗帘，又是要做什么？这些事可都是古大爷亲眼看见的。这样的人，不是有点傻又是什么呢？

村里人都在议论的那件事情,要从派老头的猫咪菲菲过生日开始说起。派老头的小猫菲菲一年过三次生日,因为菲菲觉得过生日很好玩。每次菲菲过生日的时候,派老头就给他做个生日蛋糕。

　　那一天,和平常一样,派老头先到鸡窝里收了满满一篮子新鲜鸡蛋。他把鸡蛋篮子放在厨房外面的长凳子上,开始把每一颗鸡蛋都拿出来,细心地擦起来。鸡蛋就应该是干干净净的,派老头是个认真的老头,擦鸡蛋的时候一点都不马虎。小猫菲菲不耐烦地在椅子上面走来走去,等着派老头快点开始做蛋糕。

　　"我说真的需要把所有的鸡蛋都擦一遍吗？这么擦下去,蛋糕还没做出来,我就得再过一次生日了。"菲菲不耐烦地说。

　　"哎呀,你怎么这么没耐心啊！那好,把鸡蛋拿好,我们去厨房了,看看今天能不能做出个蛋糕来。"派老头答应着菲菲。

　　"当然可以做出蛋糕来啦！"菲菲兴奋地叫着,一蹿身已经到了厨房,马上开始找做蛋糕的锅。

　　剩下的鸡蛋就被放在外面的长凳上了。

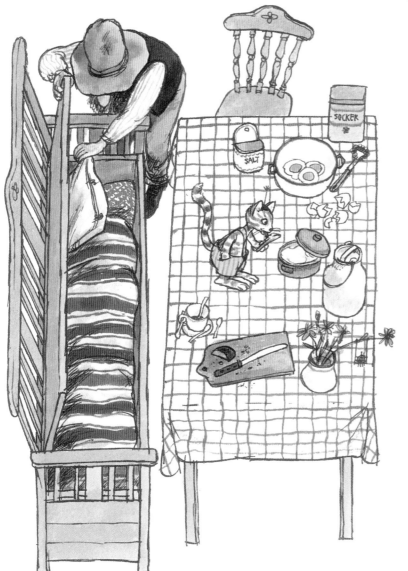

派老头开始往盆里打鸡蛋。

"现在，我们需要牛奶、糖、一点点盐、黄油、再加上面粉就好了。"派老头说着把东西一件件地往外拿。可是,面粉找不到了。

"面粉哪儿去了,是不是被你给吃光了,菲菲?"派老头吆喝着。

"我可从来没有偷吃过面粉!"菲菲大声说。

"那就是我自己吃光的啦?!"派老头嘟囔着,一边皱皱鼻子。他又在储藏室、厨房柜子、炉子和厨房的沙发里翻腾了三次,可是根本没看到面粉的影子。

“好吧,我骑自行车去商店买面粉,你乖乖在家等着。”派老头说着朝门外他的蓝色自行车走去。可菲菲才不愿意在家等呢,他一个箭步跳到了派老头的前面。

派老头正要推着自行车往外走的时候,发现自行车的后轮瘪瘪的,轮胎爆了。

“这又是怎么回事,菲菲?你把自行车的轮胎咬了个洞吗?”派老头有点生气地瞧着菲菲。

“我从来没有在你的自行车轮胎上咬过洞!”菲菲大声宣布道。

“好吧,那一定是我自己把自行车的轮胎咬了个洞。”老头嘟囔着,忧虑地抓了抓耳朵,“不过,没关系,补个车带很快。你等着,我去木匠房找工具,等我把车带补好了,我们就骑上车子去买面粉,然后我们就可以继续做蛋糕了。”

小猫菲菲才不愿意等呢,他大步一跨,已经朝着木匠房奔去了。

当派老头要打开木匠房的门时，才发现木匠房门锁着，钥匙也不知道在哪里。

"这是怎么回事？木匠房从来不上锁的。菲菲，是你把钥匙给弄丢了吗？"派老头不大乐意地嘟囔着。

"我可从来没有弄丢过钥匙！"菲菲这次声音更高了。

"那是我给弄丢的吧。怎么这么倒霉呢！"老头揉揉眼睛自言自语地说。他还有点不相信地把头贴在木匠房的玻璃上看了看，又拉了拉房门。木匠房的门还是锁着的。

这时候，小猫菲菲站在井台边朝着老头吹口哨。老头赶快跑过去。

"瞧，钥匙在井底下呢！钥匙怎么会跑到井底下呢？我怎么才能把钥匙从井底下捞上来呢？"老头的脸阴沉下来，直到突然一下子又亮堂起来。

"对了，要是我在一个细竿子上加个钩子，不就可以用钩子把钥匙给钩上来吗？菲菲，你有没有细竿子？"老头说。

"我可从来都没有过什么细竿子。"小猫菲菲觉得有点莫名其妙，不知道该怎么回答老头。

"那我得自己找一根了。"老头嘀咕着，摘下帽子挠挠头，"你等着，我去找根细竿子来，那我就可以把井底的钥匙给钩上来。然后我就可以打开木匠房的锁，找到修车的工具。等我把车修好，就可以骑着车子去商店买面粉。然后我们就可以接着做生日蛋糕了。"

小猫菲菲才不愿意等呢，老头的话音没落，菲菲已经蹿出去找细竿子了。

老头和猫开始满院子地找细竿子。他们在鸡窝里找，在木匠房后面找，在屋子里的沙发后面找，在厨房的储藏室里找……可是不论在哪里，他们都找不到一根细竿子。突然，派老头想起来在木匠房的阁楼上他有一根钓竿。

"钓竿是根不错的细竿子，"派老头一边想一边说，"现在我得先找个梯子，这样我才能爬到木匠房的房顶上，然后从天窗钻进阁楼里，把钓竿给找出来。可是，梯子在哪儿呢？梯子在邻居古大爷家的草地上呢，那里，古大爷家那头易怒的公牛正枕着梯子睡觉呢！我可不敢就这样过去拿梯子，那公牛非跟我发疯不可。我得先想个办法把公牛给骗走。可怎样才能把它骗走呢？"派老头摸着胡子开始琢磨。

"喂，菲菲，你会斗牛吗？"老头琢磨了好半天后问小猫。

"什么？我可从来没有斗过什么牛。"菲菲底气不足地回答老头。

"太可惜了，"派老头满脸忧虑地嘀咕着，"要是我们不能把公牛给骗走，我们就没办法拿到梯子，没有梯子我们就不能爬到木匠房房顶，从那里钻到阁楼上把钓竿找出来；没有钓竿，我们就不能把掉在井里的木匠房的钥匙钩出来；没有木匠房的钥匙我们就不能打开木匠房，把修自行车的工具找出来；没有修自行车的工具，我们就不能给自行车补带；没有自行车，我们就不能骑车去商店买面粉；没有面粉我们就不能做生日蛋糕；一个没有生日蛋糕的生日算什么生日呢？"

小猫菲菲听得目瞪口呆。

"老实说，本猫咪也曾经追过一两头公牛的，要是被逼急了，我大概也能追一追这头老公牛吧！"

"我想也是嘛！都这时候了，你的肚子还没有被生日蛋糕给逼急了吗？"派老头在一旁鼓动猫咪。"是不是世界上跑得最快的猫咪有时候有点偷懒呢？等我回去拿点东西，看我们把那老公牛追得满地跑！等在这儿，我马上就回来。"派老头说着进了屋。

派老头回到屋里,把厨房窗户上挂着的印着红色花朵的窗帘摘下来,又到客厅里把一台老式留声机搬到院子里来,派老头在留声机上放了一张唱片。

然后,他走出来,把花窗帘的一端系到了小猫菲菲的尾巴上,说:"看,这样的窗帘就是人家西班牙斗牛士用的。记住了,我没给你命令前千万不要跑!"

然后,派老头把留声机搬到古大爷家的草地外的铁丝网旁,开始摇动留声机,另外一个老头的声音从留声机里传出来,是一个叫比约林的很有名的唱歌的老头,唱的是"到大海上去……"

"这声音绝对能把谁都给叫醒了。"派老头得意
洋洋地说。

留声机开始唱歌了,枕在梯子上睡觉的
公牛开始只是慢悠悠地在梦里走了几
步,因为那个唱歌的老头开始的时
候唱得很安静。可是,
接下来,当唱歌的老
头把全部力气
都使出来的
时候,公
牛被惊醒
了。

公牛像被蜇了一下似的在空中弹了一
下腿,它有点惊诧地打量了一下四周。

"怎么回事? 这是怎么了?"公牛烦躁地
朝着一个飞过来的大马蜂喷了一下鼻子。
不,噪音不是马蜂发出的,是从后面什么地
方发出的。公牛转过身,一眼瞧见了站在铁
丝网外边的派老头和小猫菲菲,还有那台正
在唱歌的留声机。"快把那玩意儿拿走,要不
然我自己去拿了啊!"公牛发出警告,开始在原
地前后挪动蹄子准备起跑。他绷紧了全身的肌肉,
朝后退了一步,朝着派老头、菲菲和留声机冲过去。

"跑！用全力跑！"这时候派老头给小猫菲菲发出了命令。菲菲像一颗彗星一样，拖着尾巴上的花窗帘猛地冲了出去。公牛一眼看到菲菲身后拖着的长尾巴，顿时来了个急转弯，朝着菲菲追过去。公牛还以为那花花绿绿的东西就是惊醒他美梦的坏蛋呢。

菲菲和公牛跑到草地另外一端的时候，派老头赶快从铁丝网下面钻过去，把草地上的梯子搬起来，朝自己家的方向跑。正在这时，小猫菲菲拖着他长长的花尾巴飞快地冲着派老头跑过来，跟在他后面的公牛累得气喘吁吁，莫名其妙地瞪着眼前发生的一切。

　　小猫菲菲还是不停地跑着。他跑过长椅,尾巴上的花窗帘一下子把椅子上放的鸡蛋篮子拉到地上,一篮子鸡蛋全都滚到了地上的水坑里。可就在这个时候,派老头也跑过来了,他一脚踩在菲菲尾巴后面的窗帘上,一个跟头摔在了水坑里,所有的鸡蛋全都被派老头一屁股给坐碎了。

派老头嘴里发出一长串抱怨声，气呼呼地从地上的烂泥潭中爬起来。

"菲菲，你怎么把鸡蛋篮子放在这儿，看看现在搞成什么样子了。"派老头气急败坏地吼着。

"我可从来没有把鸡蛋放在厨房外的椅子上！"菲菲郑重地大声宣布。

"那是我自己放的了……"派老头嘟囔着，慢慢把语气缓和下来，毕竟，今天是菲菲的生日啊！

"唉，这里都成什么样子了，"派老头叹了口气说，"我得先收拾收拾，然后再去做生日蛋糕，我可是个有规矩的老头。"

派老头找了把铁锹，开始收拾眼前乱糟糟的一堆碎鸡蛋。

就在这时，邻居古大爷走过来。

"我说，派老头，忙什么呢？没事儿吧？"古大爷好奇地看着派老头和他脚下的一堆碎鸡蛋。

"没什么，今天不太忙。小猫菲菲过生日，我要给他做个生日蛋糕，正在准备做生日蛋糕的面团呢。"派老头说着，把最后一铲子碎鸡蛋倒进垃圾桶里。

"好了。"派老头一边说一边把手在裤子上面蹭了蹭。他发觉裤子上面黏糊糊的全是鸡蛋汁。

"得了，裤子也扔掉吧，猫咪一年才过三次生日，可得好好庆祝一番。"派老头说着，把裤子脱下来也一起扔进了放碎鸡蛋的垃圾桶里。

眼见垃圾桶里乱糟糟的一堆，古大爷目瞪口呆，惊得说不出话来。做生日蛋糕的面团？!他小心翼翼地看了看派老头，心想，这老头不是疯了吧！我最好还是不要管他了。

"你和小猫要做生日蛋糕啊,好好做!好好做啊!"古老头装出一副很关心的样子。

"可不是嘛,我派老头自己的配方。"派老头骄傲地说,"不过我得先去商店把面粉买回来。等在这儿,我一会儿就回来了。"

派老头拿着梯子爬到木匠房的房顶上,很快消失在房顶的另一端。

古大爷在原地站了一会儿。他抬头看了看木匠房的房顶,低头看了看铁桶中的碎鸡蛋,转过身看了看尾巴上拴着块窗帘,正在那里不耐烦地转来转去的小猫咪。那台都快唱不出声音的留声机正在慢慢地哼着最后的调子:"到到到……大大大……海海海……去去去……"最后,古大爷又张望了一下已经消失在房顶另外一面的派老头,终于说出一句话来:"商店到底在哪儿啊?"古大爷说完,开始慢慢地往家走去,他看上去一脸的忧虑。

那天以后，村子里的人都说派老头疯了，小猫菲菲可不这样想。因为，那天派老头爬到木匠房的房顶后，从阁楼里找出了钓竿，他在钓竿上绑了一个钩子。之后，派老头拿着钓竿走到水井边，用钓竿把水井底的木匠房钥匙钓了上来。然后，派老头把木匠房的门打开，取出工具箱，把自行车的破轮胎给补好了。然后，他骑着自行车到商店里买了面粉，还买了一条新裤子。最后，派老头骑着车子回家，和小猫菲菲一起把生日蛋糕做好了。

蛋糕做好了！派老头和菲菲坐到花园里一起喝咖啡、吃蛋糕。留声机放着好听的华尔兹圆舞曲，就像平时小猫菲菲过生日时一样。

你看，派老头没有疯吧！

瑞典的大明星——派老头和小猫菲菲

　　瑞典是个童话王国,而我和派老头及小猫菲菲的相遇也很有童话的味道。

　　那是十几年前,我刚来到瑞典的时候正逢圣诞节,我被邀请到朋友的姐姐家里过圣诞。晚餐中,突然来访的"圣诞老人"居然叫出我的名字,他从背在身后的落满了一层厚厚雪花的大口袋里掏出一个花花绿绿的包裹,说是圣诞老人特意给我的礼物。在四座亲朋热情的注视下,在朋友姐姐家两个小孩子的急切帮助下,我将礼物轻轻打开,是一本儿童图画书。那时我的瑞典语还不灵光,当我费劲地念出书封面上的书名时,朋友姐姐家 4 岁的小女孩就迫不及待地欢呼起来,用瑞典语高声叫着"Pettson!Findus!"一边的小弟弟也立刻附和着姐姐叫了起来。

　　Pettson 和 Findus——派老头和小猫菲菲,这两个瑞典小朋友乃至世界上许多国家的小朋友耳熟能详的人物,就是今天呈现在中国读者面前的这套著名瑞典图画书中的两位主人公。这两位主人公真是妙不可言,他俩的相遇也许是上天安排的吧?派老头的性格有点古怪,而他的慈祥和真诚却是每个小朋友都喜爱的。他的木匠房凌乱而神奇,他那杂草丛生的小院儿简直就是小动物和淘气孩子的乐园。菲菲是一只顽皮的小猫,绿条纹的裤子晃晃荡荡地穿在身上,却露出一本正经的表情,让你觉得他什么都能搞定。

　　《菲菲的生日蛋糕》是"派老头和捣乱猫的开心故事"系列图画书中的第一本,书的作者和插画家叫斯文·诺德奎斯特(Sven Nordqvist)。这位享誉欧洲的艺术家其实并不是画家出身。他在大学里读的是建筑专业,毕业后还在建筑学院做过讲师,在广告公司做过平面设计。不过对儿童文学的喜爱越来越多地占据了他的心灵。

1981 年,在瑞典 Opal 儿童出版社举行的一次儿童图画书的比赛中,斯文画的一本帮助儿童认识字母的书获了头奖。一年后,Opal 出版社收到了他的一本新作,派老头和小猫菲菲就这样诞生了。

《菲菲的生日蛋糕》一经出版,立刻赢得了大小读者们的喜爱。许多小朋友给编辑部写信,一定要知道小猫菲菲到底是从哪里来的。于是,斯文又创作了第二本——《菲菲小时候丢了》,给这只调皮的小猫和古怪老头的结缘做了一个解释。从这以后,读者的期待更多了,围绕着小猫菲菲和派老头,斯文至今共创作了 8 本书。以这两个主人公为原型,斯文又亲自设计了电脑游戏、动画片和电影。如今,派老头和小猫菲菲已经成为一个产业链,在斯德哥尔摩的游乐场中甚至还设有小猫菲菲和派老头的房子,里面的摆设全是按照斯文绘画中的造型放大建造的,每个人都可以在这里寻找到小猫菲菲和派老头的足迹。你甚至还可以到木匠房中,拿起工具,模仿着派老头的样子丁丁当当地搞一阵发明创造呢。

对于中国读者来说,小猫菲菲和派老头的关系耐人寻味:菲菲不是一只听话的好猫,但他的幽默、调皮表现出孩子特有的活泼和聪颖;派老头看上去有点怪怪的,可他对菲菲的爱和尊重就像是一位善解人意的开明父亲。或许这样一种互相信任、互相依存的父子关系正是许多中国孩子所渴望的。

瑞典评论界称这套图画书适合于 3~99 岁的所有读者,相信读到这套书的中国读者也有同感。当小猫菲菲和派老头终于能用中文和中国的大读者和小读者交流的时候,我渴望听到大家的笑声。真的,这是一只非常不同寻常的猫和他非常不同寻常的"爸爸"的故事。

凯 梅

2006 年 8 月于斯德哥尔摩

派老头和捣乱猫的开心故事

系列绘本

来自童话王国瑞典的知名绘本
获博洛尼亚童书展多媒体设计大奖
享誉世界的"细节"绘本
适合3-99岁的所有读者

菲菲小时候丢了

从前有个老头叫派森，人们叫他"派老头"。他一个人住在乡下一座小木房里，常常觉得有点孤独。邻居安大妈送给派老头一个纸盒子，里面放着一只小猫叫菲菲。菲菲有点顽皮，派老头有点古怪，派老头和捣乱猫的故事就这样开始了……

菲菲的生日蛋糕

谁一年能过三个生日呢？那就是捣乱猫菲菲呀。菲菲为什么一年要过三个生日呢？因为过生日很好玩，能做好吃的生日蛋糕。可是这一次做蛋糕还真费了点儿劲儿，不仅打碎了鸡蛋，还被公牛追赶得上气不接下气。嗯，这个蛋糕的味道一定不同一般。

菲菲的开心妙计

派老头今天心情不好，他那无精打采的样子真让人担心。菲菲可从来不知道什么叫"心情不好"。他在椅子上转来转去，一会儿咬咬自己的尾巴，一会儿跳到桌子上喝一口咖啡。他偷偷拿了一块糖，然后又跳到地上……看调皮的菲菲怎样让派老头高兴起来吧。

菲菲去野营

晚上睡在野外的帐篷里，这个计划对菲菲实在太有吸引力了！他迫不及待地等待天黑，好钻进帐篷，虽然这个帐篷就支在自家的院子里。不管在哪里，野营的感觉都是那样的新鲜和温暖，因为菲菲和爱他的派老头在一起。

菲菲斗公鸡

除了派老头，院子里的母鸡们是菲菲最好的朋友。可是公鸡约西来到这里以后，打破了所有的宁静。母鸡们前前后后围绕着约西，没有兴趣再和菲菲游戏。菲菲第一次遇到了对手！气恼的菲菲将怎样和约西相处？调皮的菲菲又会想出什么鬼主意？相信菲菲最终不会让我们失望！

菲菲猎狐记

派老头和菲菲想给来偷鸡的狐狸一个教训！他们用气球和羽毛做了只"气球母鸡"，灌上了胡椒、连上了爆竹，还装扮好了"闹鬼小猫"，要给狐狸来出好戏。不过狐狸聪明得很，他只是将这只"气球母鸡"闻了又闻，然后就坐在屋后开始看戏。我们一起来看看到底是谁享受了这场精彩好戏吧！

菲菲的温馨圣诞

派老头去山上砍松枝却撞伤了脚，这个圣诞节看来有点糟糕。没有圣诞树、没有火腿、没有礼物……小猫菲菲急得尾巴直翘。可是，派老头和菲菲却过了一个最热闹的圣诞节。不仅有一棵最漂亮的圣诞树，桌子上还摆着丰盛的圣诞大餐。你一定想知道这个特别的圣诞节里的故事吧？

菲菲要种肉丸子

春天来了，各种生物快乐地迎接春天。派老头和菲菲在园子里播种，他们种下土豆、胡萝卜、青豆……还有菲菲突发奇想种下的肉丸子！没想到先是母鸡们来捣乱，接着小猪啃掉了肉丸子，最后牛群也跑进园子来撒欢。唉，派老头和菲菲播下的种子，到底还能不能长出来？

大师经典绘本

好居乐农场的趣事

系列绘本

来自法国的温情绘本
适合儿童自主阅读

帝企鹅古古乐

在好居乐农场，动物们发现了一个奇怪的蛋，而这只即将破壳而出的小宝宝一定会带给他们许多惊喜！

卡卡莫特岛

表弟哈里寄来了求援信，古古乐和农场里的其他动物决定出发去卡卡莫特岛帮助他。在这次漫长的旅行中，他们遇到了很多激动人心的事……

布雷格的龙卷风

一场龙卷风袭击了布雷格森林。受伤的、精疲力竭的小动物们来到邻近的农场避难，可是一只兔宝宝和大伙走散了……